Magalie
Lance et compte !

Yvan DeMuy

Illustrations de Claude Thivierge

ÉDITIONS
MICHEL
QUINTIN

Catalogage avant publication de Bibliothèque et Archives nationales du Québec et Bibliothèque et Archives Canada

DeMuy, Yvan

    Lance et compte!

    (Magalie)
    Pour enfants.

    ISBN 978-2-89435-495-7

    I. Thivierge, Claude. II. Titre. III. Collection: DeMuy, Yvan. Magalie.

PS8557.E482L36 2010   jC843'.6   C2010-941366-0
PS9557.E482L36 2010

Infographie: Marie-Ève Boisvert, Éd. Michel Quintin

Le Conseil des Arts du Canada
The Canada Council for the Arts

SODEC
Québecxx

Patrimoine   Canadian
canadien   Heritage

La publication de cet ouvrage a été réalisée grâce au soutien financier du Conseil des Arts du Canada et de la SODEC.

De plus, les Éditions Michel Quintin reconnaissent l'aide financière du gouvernement du Canada par l'entremise du Fonds du livre du Canada pour leurs activités d'édition.

Gouvernement du Québec – Programme de crédit d'impôt pour l'édition de livres – Gestion SODEC

ISBN 978-2-89435-495-7

Dépôt légal – Bibliothèque et Archives nationales du Québec, 2010
Dépôt légal – Bibliothèque et Archives Canada, 2010

© Copyright 2010

Éditions Michel Quintin
C.P. 340, Waterloo (Québec)
Canada J0E 2N0
Tél.: 450 539-3774
Téléc.: 450 539-4905
editionsmichelquintin.ca

1 0 - G A - 1

Imprimé au Canada

À mon joueur de hockey préféré,
ma source éternelle d'inspiration... Laurent.

Chapitre 1

Trop de lecture !

— Un sport? Tu es sérieuse, maman? Tu veux vraiment que je pratique un sport?

— Bien sûr, Magalie. Pourquoi pas?

— Mais une reine du monde, ça ne pratique pas de sport!

— Je suis persuadée que tu deviendras la reine du sport!

Elle se croit drôle en plus.

C'est bien ce que je pensais. J'en ai maintenant la certitude, maman lit trop de magazines. C'est absolument et totalement certain. Pourtant, elle y découvre plein de choses intéressantes : des nouvelles recettes de biscuits, des propositions d'activités pour la fin de semaine, des suggestions de livres. C'est aussi en fouinant dans une de ces revues qu'on a trouvé comment fabriquer de magnifiques décorations de Noël avec des coquilles d'œufs.

Je vous le dis, on y trouve toutes sortes d'idées, mais malheureusement, pas seulement des bonnes. La preuve, ma mère s'empresse de me la mettre sous les yeux.

— «La pratique du sport favorise le développement de l'intelligence.» C'est écrit noir sur blanc, dit-elle, fière de sa trouvaille.

L'article parle des bienfaits de l'activité physique pour les fillettes de mon âge. On y raconte que les enfants ne bougent pas assez et qu'ils perdent trop de temps devant la télé ou les consoles de jeux vidéo.

Je n'ai même pas de jeux vidéo! Et je passe beaucoup

plus de temps le nez dans un livre ou à jouer avec mes poupées qu'à regarder la télé. Mais, ça ne compte pas pour maman. Pas assez d'action, qu'elle dit. Il faudrait qu'elle se décide, car habituellement elle trouve que je déplace trop d'air et soutient que je devrais apprendre à me concentrer sur une chose à la fois.

— Mais j'y pense, j'en fais du sport!

— Ah oui? Je suis curieuse de savoir lequel!

— Eh bien... je pratique... plein de trucs. Comme... enfin, ce n'est pas parce que je ne me rappelle plus que je n'en fais pas.

Je mets mon cerveau en deuxième vitesse et je trouve.

— Tiens, ça me revient. Je pratique la parole tous les jours. Plusieurs fois par jour, même!

Visiblement, maman ne comprend rien à ce que je raconte. Son front se plisse et son sourcil droit pointe vers le haut.

— Quoi? C'est tout un sport que de parler. Il y a plein de muscles que je développe quand je parle. Ma bouche est en mouvement, mes lèvres bougent sans arrêt, mon cerveau est en action et même, parfois, ça fait travailler mon bras et ma main.

— Tu parles avec ton bras et ta main maintenant?

— Mais non, maman. C'est juste que madame Anita apprécie quand je lève mon bras et

ma main avant de prendre la parole.

— Je te parle d'un vrai sport, Magalie.

— Et la marche jusqu'à l'école, c'est du sport ça, non ?

Je me doutais bien de la réponse. Un NON catégorique.

L'article, que maman prend soin de découper et de coller sur le frigo, la convainc que même les petites filles intelligentes comme moi doivent faire travailler leurs muscles, et pas seulement ceux de la mâchoire, pour rester en bonne santé longtemps. On écrit vraiment n'importe quoi dans ces magazines !

— Tu pourrais t'informer auprès de tes camarades d'école. Je suis certaine que plusieurs d'entre eux pratiquent un sport qu'ils aiment. Ça pourrait te donner des idées.

Me voilà donc avec une mission importante à remplir : trouver un sport à pratiquer.

— Mais un vrai, insiste maman.

Avec un entraîneur, des cours, de l'entraînement régulier. Un sport d'équipe ou individuel, et avec des compétitions s'il le faut. Maman s'engage à assumer tous les frais pour l'inscription et l'équipement, si nécessaire.

— J'irai même t'encourager. J'ai déjà hâte.

Bon, ça y est, elle m'imagine déjà en athlète olympique !

Chapitre 2

Une mission difficile

J'ai beau observer ce qui se passe dans la cour de l'école, comme maman me l'a suggéré, mais je ne vois rien là de bien excitant.

Il y a bien la marelle qui m'intéresse, mais, selon Anabelle, la marelle n'est pas un sport.

— Tu es bien certaine qu'il n'existe pas de compétitions de marelle ? que je lui demande.

Il paraît que non. Ça semble même évident, pour elle.

À la récréation, je rejoins Louis-Philippe, Audrey et Gabrielle qui s'amusent à la corde à sauter. À les voir faire, je sens tout de suite que j'ai enfin trouvé un sport parfait pour moi. C'est vrai, quand on saute à la corde, on rit, on chante et ça n'exige pas un équipement très élaboré. Une corde et des souliers suffisent. Et puis, on peut y jouer un peu partout, seul ou avec des amis, peu importe la saison. Je pourrais même en faire avec maman dans le salon.

Louis-Philippe m'invite à tenter ma chance. Ça semble si facile que je n'hésite pas une seconde et je m'élance. PAF!

Me voilà à plat ventre ! C'est la fin de ma carrière à la corde à sauter...

Le genou amoché et les larmes aux yeux, je me retrouve chez madame Bissonnette, la secrétaire de l'école, qui prend soin de désinfecter ma plaie. Je lui raconte les détails de ma mission.

— C'est une très bonne idée de pratiquer un sport, mais sauter à la corde, c'est peut-être trop dangereux pour toi. Tu devrais faire comme moi et t'en tenir à la pétanque, qu'elle me propose le plus sérieusement du monde.

— La pétanque? C'est pour les vieux. Oups... les personnes âgées, que je veux dire. Mon grand-papa y joue, au centre d'accueil où il habite.

Je pense l'avoir insultée.

— Bon, tu peux y aller maintenant, ton genou est correct, me lance-t-elle d'un ton sec, le nez en l'air.

Je suis un peu découragée. Pas moyen de dénicher un sport intéressant. Mais, comme dit grand-papa Alphonse, quand on cherche, on finit par trouver !

C'est effectivement ce qui se produit à la récréation de l'après-midi. Je me promène en chantant des chansons dans ma tête quand Samuel se met à hurler :

— Hé Magalie ! Tasse-toi, tu es sur notre patinoire.

Je regarde autour de moi. Pas la moindre glace ou bande à l'horizon. Absolument rien qui puisse ressembler à une pati-noire. Samuel en rajoute.

— Va jouer à la poupée avec les filles. Ici, c'est pour les joueurs de hockey.

Évidemment, tous les gars se mettent à rire de la remarque de Samuel. Je ne me laisse pas faire.

— Pour ton information, les vrais joueurs de hockey portent des patins !

— Je sais ça, mademoiselle Je-sais-tout, mais pour l'instant, on se prépare pour le tournoi de mini-hockey et on n'a pas besoin de toi.

Je réfléchis un moment et je me retiens de lui sauter au cou pour le remercier. Sans le savoir, Samuel vient de m'aider à accomplir ma mission. J'ai trouvé à l'instant, le sport que je vais exercer : le mini-hockey.

En plus, c'est un excellent choix parce que, comme grand-papa adore le hockey, il pourra m'aider. Il ne manque pas un match à la télévision. Je sais que plus jeune, il a été gardien de but, j'ai déjà vu des photos.

C'était à l'époque où il ne portait pas de lunettes et avait encore beaucoup de cheveux.

Je ne perds pas de temps, je prends un bâton qui traîne par terre.

— Dans quelle équipe je suis?

— Dans aucune! Tu t'enlèves de là, c'est tout, proteste Samuel.

— Si tu penses que je ne jouerai pas, tu te trompes! Les filles ont le droit de jouer au hockey autant que les garçons. Et tu sauras que mon grand-papa est une ancienne vedette de hockey.

Bon, j'avoue que j'en ai mis un peu, mais la situation l'exigeait.

— Si ton grand-père est une ancienne vedette de hockey, ma grand-mère s'appelle Maurice Richard !

Samuel peut bien se moquer tant qu'il veut, ça n'empêche pas Vincent d'avoir une idée de génie. Comme je les aime.

— On n'a plus de gardien de but depuis que Mathis a la varicelle. Et le tournoi est demain. Magalie pourrait le remplacer, non ?

Malgré le refus catégorique de Samuel, voilà que ma carrière de gardienne de but prend son envol. Un départ canon... pour l'autre équipe! Trois lancers, trois buts.

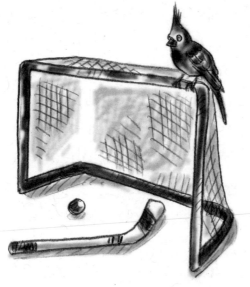

C'est certain que je voudrais faire mieux, mais le jeu va tellement vite qu'il me faudrait des yeux tout le tour de la tête. Samuel est rouge de colère.

— Le gardien de but doit arrêter les balles, Magalie, pas les regarder entrer!

Un petit coup de bâton sur le tibia de Samuel pour le faire taire et on se retrouve tous les deux au bureau de monsieur Gagné, le directeur.

Il attend mon explication, en tapant du pied.

— C'est à peine si je l'ai touché.

— Il a quand même une belle bosse sur le tibia.

Samuel se lamente comme s'il était sur le point de mourir. Bon d'accord, je n'aurais pas dû, mais il l'a cherché.

Ma première expérience comme gardienne de but est loin d'être un succès. Je tiens cependant à bien paraître au tournoi de mini-hockey. Pas question de faire rire de moi, et je veux prouver à Samuel et à mes coéquipiers que je suis capable de les aider à gagner. Je dois donc trouver un entraîneur, mais pas n'importe lequel, un entraîneur professionnel.

Chapitre 3

La détermination

— Au hockey, tu veux jouer au hockey ?!

— Oui maman, au mini-hockey, en fait. Tu vas voir, pour ce sport, tout est mini : les buts, les bâtons, la balle, tout. D'ailleurs, j'ai déjà commencé, je suis la gardienne de but. C'est un rôle très important, tu sais.

Maman n'en croit pas ses oreilles. Elle était loin de s'imaginer qu'une gardienne de but sommeillait en moi. J'en suis moi-même surprise !

— En plus du tournoi de demain, il y a une ligue de mini-hockey. Je vais pouvoir jouer tous les samedis matin au gymnase de l'école.

— Tu veux vraiment jouer au mini-hockey ?!

Il faudrait qu'elle en revienne !

— Tu ne préférerais pas la danse ? Ou la gymnastique, peut-être ?

C'est bien maman, ça. Elle insiste pour que je trouve un

sport à pratiquer et, une fois que je l'ai trouvé, elle n'est pas d'accord.

— Non, maman! C'est décidé. J'y ai joué à la récréation et j'ai adoré. Ce n'est pas ce que ta revue disait, que les enfants devaient bouger un peu plus?

— Oui, oui, tu as raison.

Pendant que maman digère la nouvelle, moi, j'avale une galette à la mélasse et je file chez grand-papa.

— Tu sais jouer au hockey?

Bon, un autre qui est surpris.

— Euh... un peu. C'est justement pour ça que je suis ici. J'ai pensé qu'en tant qu'ancien gardien de but, tu pourrais m'apprendre quelques trucs.

Ma demande semble embêter grand-papa. Il m'explique qu'il a joué dans son jeune temps, mais que ce n'était que par plaisir et qu'il n'est pas certain de pouvoir me donner un coup de main.

Je suis déçue, moi qui comptais sur lui pour m'aider à devenir une excellente gardienne de but. Je voudrais tellement faire ravaler les paroles de Samuel qui dit que je suis plus utile à l'équipe adverse qu'à la mienne !

Mais grand-papa Alphonse, qui a une solution à tous les problèmes, me prend par la main et m'entraîne à l'autre bout du corridor.

Il cogne au numéro 231.

La porte s'ouvre et un immense monsieur apparaît. Ted, qu'il s'appelle. Il est aussi imposant que la grosse armoire dans ma chambre. Il dépasse d'une tête grand-papa que je trouve déjà grand. Il porte la barbe et les cheveux longs, mais ce qui

frappe le plus, c'est sa bedaine.
Pendant un moment, j'ai cru

que c'était le Père Noël sans son habit de travail.

Je me demande bien en quoi Ted peut m'être utile.

Après avoir discuté quelques minutes avec grand-papa, Ted m'explique qu'il a été gardien de but professionnel. Ça fait longtemps par exemple, très longtemps. Il a surtout joué aux États-Unis. Il aurait même affronté l'idole de grand-papa, Maurice Richard. Le pauvre Ted a dû abandonner sa carrière après avoir reçu la rondelle sur la caboche.

Sans hésiter, Ted accepte de devenir mon entraîneur per-

sonnel. En plein ce dont j'ai besoin! En deux temps trois mouvements, une partie de mini-hockey s'organise dans la

grande salle de séjour du centre
d'accueil. Des chaises servent
de buts et nos mains remplacent
les bâtons.

On nous regarde bientôt d'un œil inquiet, mais au bout de deux minutes tout le monde s'en mêle. Monsieur Brault oublie son mal de dos et devient mon défenseur. Madame Lussier s'improvise arbitre,

tandis que Ted et grand-papa sont, eux aussi, accroupis et tentent de me déjouer.

Plusieurs autres résidants nous encouragent en tapant des mains. C'est l'euphorie dans la salle... jusqu'à l'arrivée de mademoiselle Marguerite, la directrice du centre. Elle nous regarde avec son air sévère. J'ai bien peur que mon entraînement prenne fin à l'instant même.

Puis, à la surprise générale, mademoiselle Marguerite lance :

— Vous n'auriez pas besoin d'une joueuse de plus, par hasard ?

Un grand éclat de rire se fait entendre, et c'est au tour de mademoiselle Marguerite de se joindre à notre jeu.

Quel plaisir on a! À la suite des recommandations de Ted, j'évite de me jeter par terre et j'apprends à me placer de façon à bien couvrir mes angles. À un moment donné, il me prend par les bras, me regarde droit dans les yeux et, de sa voix grave, il y va de ses précieux conseils.

— Ma petite Magalie, un bon gardien de but doit toujours garder son sang-froid, ne pas céder à la pression et être prêt à se sacrifier pour son équipe. Un gardien de but se doit d'être courageux. En un mot, un gardien de but doit faire preuve de DÉ-TER-MI-NA-TION !

La bonne nouvelle dans tout ça, c'est que j'en ai, de la DÉ-TER-MI-NA-TION ! Et pas à peu près !

Mes adversaires et tous les Samuel de ce monde n'ont qu'à bien se tenir!

Chapitre 4

Go Mag go !

Wow! Maman a tenu parole! Elle m'a acheté un casque de gardien tout neuf aux couleurs des Alouettes, euh... des Canadiens plutôt! J'ai même le chandail bleu-blanc-rouge comme les vrais joueurs qu'on voit à la télé, avec mon prénom inscrit dans le dos et le numéro 1.

Maman est tellement contente que je pratique un sport qu'elle s'en est procuré un, elle aussi. Sauf que, dans son dos, ce n'est pas son prénom qu'on peut lire, c'est plutôt « Maman de Magalie ». Fière, je vous dis !

Dans le premier match, notre équipe, *Les Titans,* affrontera *Les Étoiles* de la classe de madame Évelyne. Tout un duel en vue! Je suis tellement nerveuse que je tombe dans la lune, ce qui n'est pas vraiment une bonne idée pour une gardienne de but.

Heureusement, mes coéquipiers me ramènent sur terre avec leurs encouragements, sauf Samuel qui boude dans son coin. Il bougonne à voix haute.

— On n'a aucune chance avec elle dans les buts. Elle n'a pas fait un seul arrêt depuis qu'elle joue avec nous.

Ouais... il a un peu raison, mais ça, c'était avant mon entraînement avec Ted. Je meurs d'envie de lui montrer les immenses progrès que j'ai faits, grâce surtout à ma DÉ-TER-MI-NA-TION. Je tente de rassurer Samuel, mais selon lui, ce n'est pas avec la détermination qu'on fait des arrêts, mais avec nos jambes, nos bras et nos mains.

Le début du match est endiablé. Après quelques échanges au centre du jeu, *Les Titans* foncent vers le filet ennemi. Vincent fait une passe parfaite à Samuel qui arrête la balle, lance et frappe le poteau.

Les Étoiles reprennent possession de la balle et se dirigent vers moi à toute vitesse. Plus ils approchent, plus je sens mes jambes trembler comme des feuilles à moitié mortes. Olivier lance et... C'EST LE BUT!

Catastrophe !

Les Étoiles : 1 but.

Les Titans : 1 poteau.

J'entends d'un côté maman qui ne cesse de m'encourager et de l'autre, Samuel qui me demande de rendre service à l'équipe en allant m'asseoir sur le banc. Je suis sur le bord des larmes, découragée de n'avoir pu arrêter cette fichue balle, quand, tout à coup, la grosse voix de Ted résonne à mes oreilles.

— Go Mag go ! Go Mag go !

Je lève les yeux. Il est bien là, avec maman et grand-papa Alphonse. Je sens alors la DÉ-TER-MI-NA-TION m'envahir.

— OK les gars, on y va! Occupez-vous de compter des buts et moi je fais les arrêts.

Pendant que mes partisans continuent à crier «Go Mag go!», Vincent et Samuel marquent chacun un but et, moi, je fais un arrêt la jambe en l'air, un autre avec une fesse et un autre à plat ventre. Spectaculaire et presque miraculeux! Même Samuel n'en revient pas. J'ai fait sept arrêts fabuleux. Oui, sept! Plus rien ne passe désormais.

Quand madame Josée, l'enseignante d'éducation physique et arbitre en chef du tournoi, annonce la fin du match, Samuel

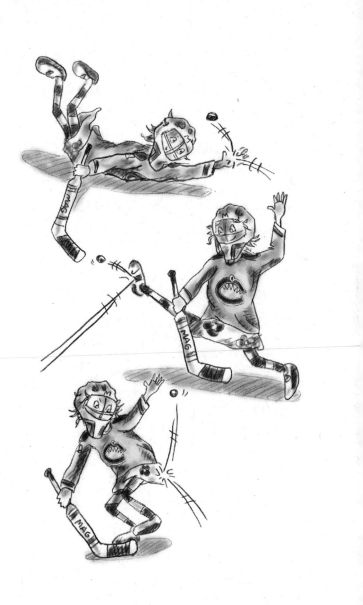

se jette dans mes bras. Pauvre lui, il se cogne si fort contre mon masque qu'en une fraction de seconde, son nez devient aussi gros que la balle.

Grâce à cette victoire, *Les Titans* passent en grande finale. Nous devrons maintenant affronter *Les Requins* de la classe de Marie-Andrée.

Malgré un nez quelque peu déformé, Samuel est fidèle au poste. Ted, grand-papa et maman sont toujours là, plus excités que jamais.

Le match est à peine commencé que *Les Requins* montrent les dents. Ils attaquent

le filet, mais je reste alerte. Ils ne lâchent pas, et Étienne s'échappe et me déjoue d'une feinte savante. Tout un but! Je n'ai pas le temps de me décourager, car Samuel, avec sa fougue habituelle, lance et compte.

C'est 1 à 1 et la foule est en délire. C'est à ce moment que Marie-Pier, des *Requins*, se met en quatrième vitesse, si ce n'est pas en cinquième, et tourbillonne autour de mon but. Elle se décide finalement à lancer, la balle touche le bâton de mon défenseur William et dévie dans le but.

On se dirige tout droit vers la défaite, quand Samuel, encore lui, trébuche sur le bâton d'un des *Requins* alors qu'il s'échappait seul vers le gardien adverse. L'arbitre n'a d'autre choix que d'accorder un lancer de pénalité.

Samuel se concentre, il fonce, lance et... c'est le but !

C'est maintenant 2 à 2.

Maman est tellement énervée qu'elle est tout en sueur et n'a presque plus de voix. On doit maintenant aller en prolongation. La pression est énorme, mais une petite voix à l'intérieur de moi me dit : de la DÉ-TER-MI-NATION, Magalie, de la DÉ-TER-MI-NA-TION… et un but autant que possible !

C'est ce qui arrive, en effet. But et victoire… des *Requins*. Eh oui, des *Requins* !

Une défaite qui fait plus mal qu'un coup de bâton sur le tibia !

Samuel ne se laisse pas abattre et scande à son tour « Go Mag go ! ». Oui, oui, le Samuel qui voulait que je joue sur le banc il n'y a pas si longtemps ! Tout

le monde réuni dans le gymnase
se joint à lui. Ted me prend à

bout de bras comme si j'étais un trophée. Même si on a perdu, je me sens comme une athlète olympique qui aurait gagné la médaille d'or.

Maman, elle, est si contente qu'elle souhaite devenir entraîneuse dans la ligue de mini-hockey. Je suis surtout fière d'avoir prouvé qu'avec de la DÉ-TER-MI-NA-TION,   on peut faire des arrêts. Même Samuel comprend cela maintenant.

Et je crois bien que maman avait raison, ça fait du bien de bouger. Je me sens déjà plus intelligente !

Table des matières

Les aventures de Magalie

Ce livre a été imprimé sur du papier contenant 100 %
de fibres recyclées postconsommation, certifié Écolo-Logo
et Procédé sans chlore et fabriqué à partir d'énergie biogaz.